heug en meug

Elle van Lieshout & Erik van Os
met tekeningen van Lars Deltrap

sterretjes

z ⚡ 💡🚐📬   Zwijsen

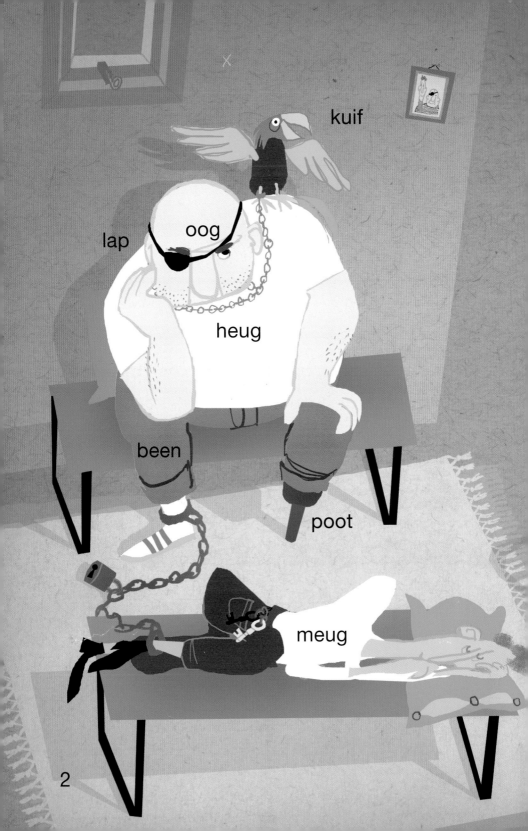

heug en meug

heug is een boef.
en heug is de baas.
hij rooft dag in dag uit.
zie je die lap voor zijn oog?
en die poot van hout?
dat is zijn been.
heug is een boef.
en wat voor één!

meug is ook een boef.
maar lui dat hij is!
en dom dat hij is!
hij pikt wel wat.
hij jat wel wat.
maar niet te veel.
en niet te vaak.
meug suft.
meug gaapt.
meug dut weer in.

en dan?
dan is het weer raak.
dan is heug boos!
heel boos!

aa bee en

taa tuu taa tuu

bel

ruit

deur

koek

4

koek of poen?

'kom op, meug!'
heug port meug in zijn rug.
'hoe laat is het?' gaapt meug.
'ik lig er pas net in.'
'kom op!' zegt heug.
'je bent lui, meug.
we gaan er op uit.
op zoek naar de buit.'

'er uit!' roept kuif.
'er uit, er uit!
op zoek naar buit.'

meug is veel te moe.
maar hij gaat mee.
dat moet van heug.
heug is de baas.

'kijk,' zegt heug.
'daar is de aa bee en.
daar ligt veel poen.
weet je wat we doen?
ik ram de deur.
jij pikt de kas.
en dan zijn we rijk.'

'poen,' gaapt meug.
'geef mij maar koek!
weet je wat we doen?
ik tik de ruit in.
en jij jat de koek.'

'niet doen!' roept heug nog.
maar het is al te laat.

tok!
dat was de ruit.
oo nee!
er gaat een bel.
en hoor je dat?
taa tuu taa tuu taa tuu!!!
'kom mee, meug!' zegt heug.
'ik wil niet weer de bak in.
meug, je bent een oen!
daar gaat de buit.
daar gaat de koek.
daar gaat de poen!'

'oen!' roept kuif.
'oen oen!
daar gaat de poen!'

huis

man

tuin

jas

poen

8

een rijk man

heug en meug zijn in [...]
het is de tuin van een [...]
heug ligt op de loer.
meug ligt ook.
maar niet op de loer.
meug gaapt en suft.
en dut weer in.
heug port meug in zijn zij.

'kijk, meug!' zegt heug.
'die man komt zijn huis uit.
zie je die zak van zijn jas?
die puilt uit van de poen.
kom op, meug!
we gaan naar die man toe.
dan kijk jij hem lief aan.
en dan zeg je wat.'
'wat dan?' zegt meug.
'dat maakt niet uit,' zegt heug.
'zuig maar wat uit je duim.
en dan rol ik zijn zak.
dan zijn we rijk!'

kijk, kijk!
dan zijn we rijk!

ssssst!
kuif, hou op.
hou je kop!

heug meug

9

ze gaan naar de man.
'dag,' zegt meug.
'wie ben jij?' vraagt de man.
'wat doe jij in mijn tuin?'
'ik?' gaapt meug.
'ik ben meug.
ik ben een boef.
en dat is heug.'
hij wijst naar heug.
'heug is ook een boef.
hij is heel ruig.
pas maar op voor hem!'
de man kijkt naar heug.
dan rent hij weg.

10

'meug, wat ben jij dom!' roept heug.
'wat ben jij suf!
hoe kun je dat nou doen?
weer geen buit.
weer geen poen.
wat ben jij een oen!'

'oen!' roept kuif.
'oen, oen!
weer geen poen!'

'nou moe!' gaapt meug.
'in wat voor bui ben jij?
zoek het maar uit!
ik weet niet wat jij doet.
maar ik ben naar huis.'

12

de bus

'daar is de bus,' zegt heug.
'ik ruik de buit al!'
heug ligt weer op de loer.
meug ligt ook.
maar weer niet op de loer.
hij suft en gaapt.

wij zijn rijk, rijk, rijk!

'de bus?' zegt meug.
'wat voor bus?
lijn 6?
de bus van beek naar son?'
'nee, oen!!!' zegt heug.
'de bus met poen.
kom op, meug!
we gaan naar die bus.
ik hak de deur los.
jij gaat de bus in.
je pikt de buit.
je komt die bus weer uit.
en dan zijn we rijk.'

13

heug hakt en hakt in de deur.
het duurt maar.
en het duurt maar.
meug gaapt.
'ik weet wel wat,' zegt meug.
'ik doe het wel.'

heug kijkt op.
hij roept: 'nee, dat is dom!'
niet met een bom!!!'
maar het is al te laat.

bam!!!
dat was de bom.

'dom,' roept kuif.
'dom dom.
dat was de bom!'

heug is het zat.
'je bent dom, meug.
weer geen buit.
nog geen poen.
je bent een nul.
je bent een sul.
je bent een oen.'

'nou moe,' zegt meug.
'zoek het maar uit.
je kunt de pot op!
ik ben naar huis.'

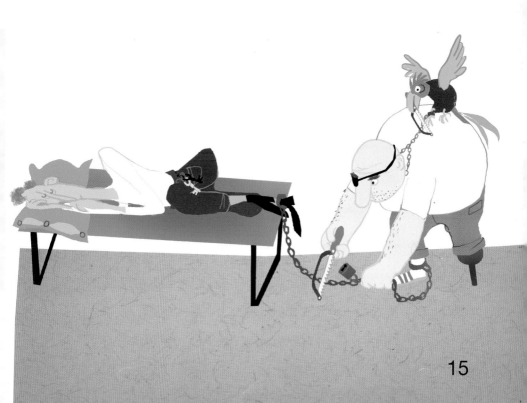

los

een boef huilt niet.
maar heug huilt wel.
hij wil van meug af.

'ik ben het beu, meug,' zegt heug.
'het zit me tot hier.
wat ben jij voor een boef?
je bent lui.
je bent een oen.
je bent een nul.
je bent een sul.
dit is niet te doen.
ik wil buit, meug.
ik wil poen!'

kuif huilt ook.
'niet te doen.
ik wil poen!'

17

'huil maar uit, heug,' zegt meug.
'ik voel met je mee.'
heug kijkt meug boos aan.
'dat hoeft nou ook weer niet.
niet te soft, meug!
ik wil van je af.
ik wil los.
maar het lukt me niet.
niet met een kei.
niet met een bijl.
niet met een zaag.'

'oo,' gaapt meug.
'daar weet ik wel wat op.'
'nee!' roept heug.
'laat maar, meug.
dat gaat weer fout.'

'maar heug,' zegt meug.
'hier is mijn bos.
wil je van me af?
daar kan ik wat aan doen.
ik maak je wel los.'

'oo nee!' zegt heug.
'oen!!!'

heug gaat weer.
op zoek naar de buit.
lukt het hem wel dit keer?
wie weet!

... uit!

en meug?
meug is te moe voor de buit.
meug rust weer ...

heug en meug
Elle van Lieshout & Erik van Os
en Lars Deltrap

hein en de eik
Wouter Kersbergen en Gerd Stoop

piet en riet
Martine Letterie en Rick de Haas

sterretjes bij kern 7 van Veilig leren lezen

na 19 weken leesonderwijs

1. heug en meug
Elle van Lieshout & Erik van Os en Lars Deltrap

2. hein en de eik
Wouter Kerstbergen en Gerd Stoop

3. piet en riet
Martine Letterie en Rick de Haas